Les
Sisters

6 : Un Namour de Sister

Dessins & couleurs
William
Scénario
Cazenove & William

BAMBOO
ÉDITION

www.bamboo.fr

PEFC

La fabrication de cet album répond au processus de développement durable engagé par Bamboo édition. Il a été imprimé sur du papier certifié PEFC.

Retrouvez les sisters sur le blog : http://uadf.over-blog.com/

116, rue des Jonchères - BP 3
71012 CHARNAY-LÈS-MÂCON cedex
Tél. 03 85 34 99 09 - Fax 03 85 34 47 55
Site Web : www.bamboo.fr
E-mail : bamboo@bamboo.fr

DEUXIÈME ÉDITION
Dépôt légal : novembre 2011
ISBN 978-2-8189-0790-0

Printed in France
Imprimé et relié en France par PPO Graphic, 91120 Palaiseau

J'AI VRAIMENT LE CHOIX QUAND JE VEUX CONFIER UN SECRET ...

... Y A WENDY BIEN SÛR... ET LÀ, JE SAIS QUE MÊME À SES MEILLEURES COP'S ELLE LE DIRAIT PAS...

MAMAN, C'EST PAREIL, QUAND J'Y DIS UN SECRET, ELLE EST PLUS SÛRE QU'UN ÉNORME COFFRE-FORT PLEIN DE SOUS DEDANS.
FACTURES
IMPÔTS
COMPTES

PAPA NON PLUS IL DIRAIT RIEN...
... JE SAIS MÊME PAS S'IL LES OUBLIE PAS LES SECRETS, D'AILLEURS.
PFRRR..
ZZZZ

ET PIS Y A DOUDOU... LÀ, J'AI SUPER CONFIANCE.

MAIS, EN GÉNÉRAL, C'EST À NATH QUE JE CONFIE MES PLUS GRANDS SECRETS ...
PITCHU PITCHU PITCHU PITCHU

NOOON ?!
SI !

FRANCHEMENT, À QUOI ÇA SERT D'AVOIR UN SECRET SI PERSONNE N'EST AU COURANT.
PITCHU PITCHU PITCHU
PITCHU

CAZENOVE & WILLIAM

PATATI
PATATA
BLA
BLA
BLA
BLA
BLA
BLA
BLA
BLA

?

C'EST PAS À CAUSE DE MOI QU'ELLES ONT ARRÊTÉ DE PARLER, QUAND MÊME ?
HUM... ... JE VAIS RÉESSAYER ...
BLA
BLA
BLA
BLA
BLA

VOUS ÊTES VRAIMENT POURRITES !
VOUS ÊTES TROP MÉCHANTES !!!
ET TOUT ÇA PASSKE VOUS COMPOTEZ CONTRE MOI, C'EST ÇA ?!
???

JE VOUS DÉTEEEESTE !!!

T'AS TOUJOURS ENVIE QU'ON CHERCHE UNE IDÉE DE CADEAU POUR L'ANNIV' DE TA SISTER, WENDY ?
MOYEN !

CAZENOVE & WILLIAM

PFFF... WENDY DANS UN MAGASIN DE FRINGUES... C'EST VRAIMENT L'ENFER.
YEAH!
TROP LA CLASS'!

... ELLE MET 3 ANS À SE DÉCIDER...
HEU... À TON AVIS SAMMIE, LAQUELLE IRAIT LE MIEUX ?
ESSAYE LES TOUTES, CE SERA PLUS SIMPLE.

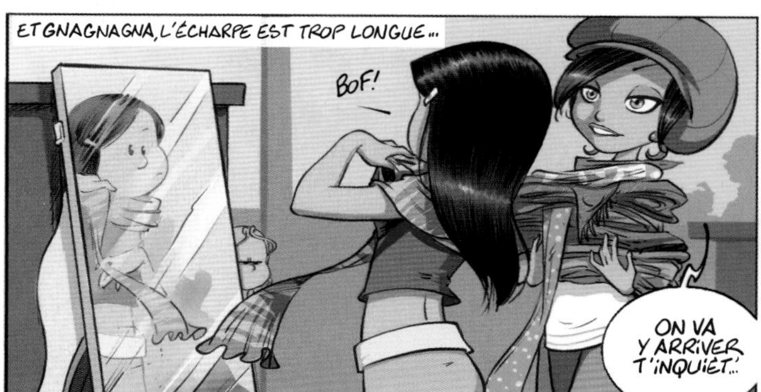

ET GNAGNAGNA, L'ÉCHARPE EST TROP LONGUE...
BOF!
ON VA Y ARRIVER T'INQUIET.

... LA VESTE, ET GNAGNAGNA, ELLE EST TROP BLEUE... PFFF...
BEUARK ! LA COULEUR QUI TUE LE STYLE.

ET LES CHOUSES... GNAGNAGNA... LES LACETS SONT TROP GROS...

DIS, WENDY, ON SE FAIT UN CINÉ CE SOIR?

UN CINÉ ?! YOUHOOU! JE VIENS!
JE VIENS! JE VIENS! JE VIENS! JE VIENS! HEIN QUE JE VIENS, WENDY ?!
NON!

OUAIS, BEN DES FOIS, ELLE SE DÉCIDE TROP VITE PAR CONTRE.

CAZENOVE & WILLIAM

BANANE

AH, T'ES LÀ MA WENDY ...
... J'TE CHERCHAIS PARTOUT.

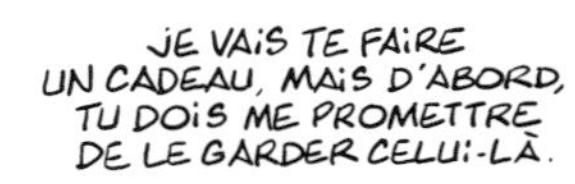
JE VAIS TE FAIRE UN CADEAU, MAIS D'ABORD, TU DOIS ME PROMETTRE DE LE GARDER CELUI-LÀ.

MMMOUMM... ...GRUMPF...

TU N'AURAS PAS LE DROIT DE LE JETER, NI DE LE POSER, DE LE DONNER OU DE LE METTRE DANS TON SAC.
SINON, ÇA VAUT PAS.
PFFOU...

TADAAAM!
?!
ET VOILÀÀÀ... C'EST POUR TOI. CADEAU!

NON MAIS TU CROIS QUE...
T'AS PROMIS, TU DOIS LE GARDER À LA MAIN TOUT LE TEMPS, COMME ÇA!

C'EST BON ?!
OUI HI HI HI ...

ELLE NE SE DOUTE DE RIEN, ON VA TOUT ENTENDRE DE CE QUE MA SISTER ET SON NAMOUREUX VONT SE DIRE.
J'AI PRIS DE QUOI NOTER.
T'ES FILS UNIQUE, TOI, J'ESPÈRE ?!

CAZENOVE & WILLIAM

DiS WENDY, C'EST PAS TA SISTER QUI APPELLE ?!
RAAAAHH... ELLE VA ENCORE ME GÂCHER MA JOURNÉE, CETTE FOUINEUSE...
WENDYYY... HOU HOUOU HOU WENDYY...
MARCEL AYMARD

HOOOUU... JE LE SAVAIS MOI QUE T'AVAIS UN NAMOUREUX.
PFFF... TOUT FAUX LE CRAMPON !!!
Biz Biz Biz
HOOU BISOUS BISOUS BISOUS

MAXENCE EST JUSTE UN CAMARADE DE CLASSE. IL ME RACCOMPAGNE À LA MAISON... TU SAIS BIEN QU'UNE FILLE NE DOIT JAMAIS RENTRER SEULE... MAMAN TE L'A ASSEZ RÉPÉTÉ.

!

VIENS PAR LÀ, BOGOSS.
HÉÉÉÉ TOUCHE-MOI PAAAS !
TU VAS ME RAMENER CHEZ MOI, PARCE QUE JE PEUX PAS Y ALLER SEULE... C'EST MA MÈRE QUI L'A DIT.
MAMAAAN AU SEC...

IL EST PAS TRÈS BEAU MAIS IL PORTE MON CARTABLE... C'EST NIKOL CRÈME !
ARF ARF ARF

MERCI BIDULE, À DEMAIN !!!

ET MOOOAAA... ...QUI VA ME RACCOMPAGNER CHEZ MOOOAAA ???
Y A PAS À DIRE, CELUI DE WENDY RAMÈNE VACHEMENT MIEUX QUE LE MIEN !!!
BOUHOOUU HOUA

CAZENOVE & WILLIAM

WENDY A UNE MANIE SUPER BIZARRE...
ELLE FAIT RIEN QU'À MANGER DES TOMATES...

...RIEN QU'À TABLE, FAUT VOIR LE STOCK QU'ELLE S'ENFILE...
CHOMP MIAM CHOMP...

ET, POUR LE DESSERT, QU'EST-CE QU'ELLE PREND?
... UN BOL ENTIER DE TOMATES CERISES...
MÊME QUAND Y A DU GÂTEAU AU CHOCOLAT...

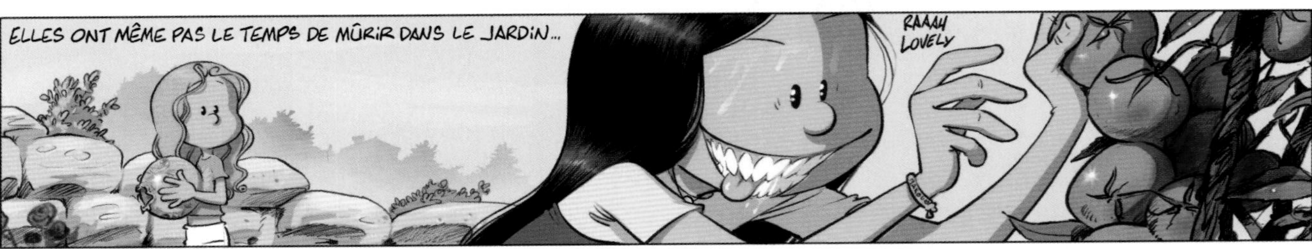
ELLES ONT MÊME PAS LE TEMPS DE MÛRIR DANS LE JARDIN...
RAAAH LOVELY

MARINE, VA CHERCHER TA SOEUR POUR DÉBARRASSER LA TABLE, S'IL TE PLAIT.
OUI M'MAN!

WEEENDYYY...
TU DOIS DÉB...
?!

M'MAN, JE CROIS QU'ELLE POURRA PAS VENIR... ELLE BIZOUTE SON NAMOUREUX.

TU DEVRAIS ARRÊTER AVEC TES TOMATES T'SAIS... TU FINIS VRAIMENT PAR LEUR RESSEMBLER.
MOUARF ARF.

CAZENOVE & WILLIAM

MARIIIINE... ACTIVE! ON VA LOUPER LE DÉBUT DU CONCERT À CAUSE DE TOI.

J'SUIS TROP ZEXITÉE D'ALLER VOIR ISAYA EN L'AIL VOEU...
... J'ESPÈRE QU'ON VA ACHETER PLEIN DE SOUVENIRS ?!

RAAAH... MAIS C'EST UN CONCERT, PAS UNE FOIRE ARTISANALE.
PORT'NAWAK TOI!

TU VAS PAS COMMENCER À FAIRE TA PÉNIBLE ?!
ET PUIS, ON TE TRAINE AVEC NOUS, ALORS CONSIDÈRE DÉJÀ ÇA COMME UN CADEAU.
TU PARLES D'UN CADEAU. TE SUPPORTER TOUTE LA SOIRÉE.

C'EST TOI QUE T'ES RIEN QU'UNE GOÏSTE !!!
AH OUAIS ?!

ET TOI T'ES QU'UN BOULET!
C'EST TOI LE BOUT LAID!

VOUS AVEZ GAGNÉ, ON N'IRA PAS AU CONCERT !!!
DANS VOS CHAMBRES !!!

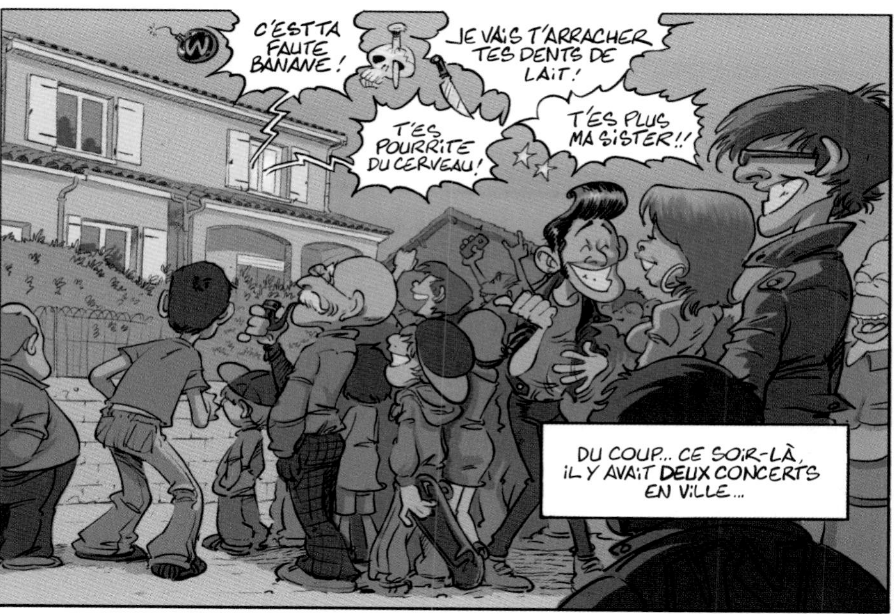
C'EST TA FAUTE BANANE!
JE VAIS T'ARRACHER TES DENTS DE LAIT!
T'ES POURRITE DU CERVEAU!
T'ES PLUS MA SISTER!!
DU COUP... CE SOIR-LÀ, IL Y AVAIT DEUX CONCERTS EN VILLE...

CAZENOVE & WILLIAM

T'EN AS DE LA CHANCE D'AVOIR TROUVÉ UN P'TIT COPAIN, TOI...

... J'AIMERAIS BIEN EN AVOIR UN, MOI AUSSI, T'SAIS...
... MAIS JE CROIS QUE JE SUIS TROP DIFFICILE.

POUR MOI, LE COPAIN IDÉAL DEVRAIT ÊTRE...
... HYPER TENDRE ...

ET CÂLIN COMME TOUT... MAIS TROP DRÔLE AUSSI ...

ET PUIS, QU'IL ME DISE QU'IL M'AIME TOUS LES JOURS... ET PAS QU'UNE FOIS...
LOL!

MAIS BON, JE SAIS BIEN QUE J'EN DEMANDE TROP.

AH MAIS NON, PAS DU TOUT !!!

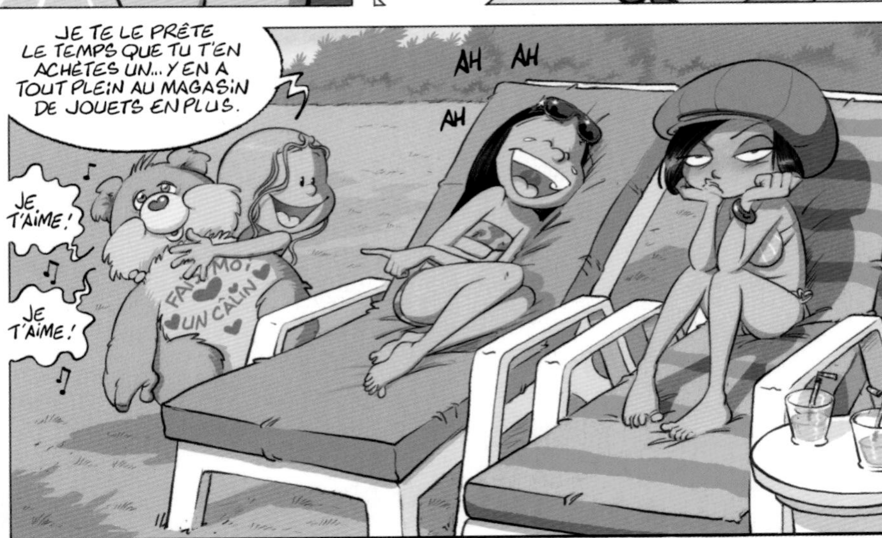
JE TE LE PRÊTE LE TEMPS QUE TU T'EN ACHÈTES UN... Y EN A TOUT PLEIN AU MAGASIN DE JOUETS EN PLUS.
AH AH AH
JE T'AIME!
JE T'AIME!
FAIS-MOI UN CÂLIN

CAZENOVE & WILLIAM

WENDY... J'PEUX TE DEMANDER UN TRUC ?
PAS ENVIE.

TU CROIS QUE JE DEVRAIS ME DÉBARRASSER DE MON DOUDOU ???
T'AS PEUT-ÊTRE UN PEU L'ÂGE, C'EST PAS FAUX.

TU SAIS, MARINE ...
... PLUS TU GRANDIRAS ET MOINS TU RESSENTIRAS LE BESOIN D'ÊTRE COLLÉE À TON LAPIN QUI PUE.
OUI, MAIS COMMENT QUE JE LE SAIS QUE C'EST LE MOMENT ?

FIXE-TOI UN OBJECTIF, UNE DATE BUTOIR.
HÉÉÉ... MAIS JE VEUX PAS LE BUTER, ÇA VA PAS, T'ES DÉBILOS DU CERVEAU OU QUOI ?!

LOL ! MAIS NON ...
... DIS-TOI JUSTE : "À PARTIR DE TELLE DATE, J'ARRÊTE DE PRENDRE MON DOUDOU" VOILÀ !
ÇA T'AIDERA À PRENDRE TA DÉCISION.
AH, OUI ?

PRENDRE UNE DÉCISION ...
... PRENDRE UNE DÉCISION ...

EN FAIT, JE SAIS CE QUE JE VAIS FAIRE WENDY ...
HÉ BÉ, PAS TROP TÔT !

... JE ME DÉBARRASSERAI DE MON DOUDOU QUAND TU TE DÉBARRASSERAS DU TIEN !
ÇA SERA PLUS FACILE SI ON ARRÊTE ENSEMBLE.

CAZENOVE & WILLIAM

ENFIN, MAXENCE...
MAIS ÉVIDEMMENT
QUE J'AI UNE PHOTO DE TOI,
ELLE EST JUSTE LÀ,
SUR MON BUREAU...
...T'ES
JAMAIS
CONTENT,
TOI !

CAZENOVE & WILLIAM

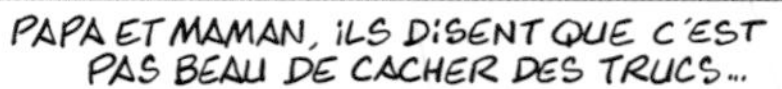
PAPA ET MAMAN, ILS DISENT QUE C'EST PAS BEAU DE CACHER DES TRUCS...

ILS DISENT MÊME QUE LA FAUTE AVOUÉE EST PARDONNÉE DANS LA MOITIÉ.

ALLEZ MARINE... LANCE-TOI !

COUCOU... HI HI... DIS WENDY... HUM... TU ME CHERCHAIS PEUT-ÊTRE, NON ?!
NON POURQUOI ?

BEN, PASSKE. SANS LE FAIRE EXPRÈS, J'AI DÉCOUPÉ AUX CISEAUX TA PHOTO PRÉFÉRÉE AVEC MAXENCE... MÊME QUE J'AI FAIT UN PEU EXPRÈS QUAND MÊME, MAIS PAS TANT QUE ÇA...
TU... TU M'EN VEUX ?

BAH... ... J'AI PASSÉ L'ÂGE DES ENFANTILLAGES, T'SAIS...
... PUIS, J'AI CHOISI MA PLUS BELLE TUNIQUE POUR ALLER FAIRE DU SHOPPING AVEC AUDREY... ALORS TU CROIS QUE JE VAIS GÂCHER TOUT ÇA JUSTE POUR TE SAUTER DESSUS ET TE FILER UNE ROUSTE ?
C'EST VRAI J'SUIS PARDONNÉE ?

NON !
GASP !
DANS TES RÊVES !
BREF... PAPA ET MAMAN, ILS DISENT QUE DES BÊTISES !

CAZENOVE & WILLIAM

WENDY, MA SISTER PRÉFÉRÉE, JE T'EMPRUNTE TA GOMME AVEC LES PAILLETTES.
?!

OK! ET N'OUBLIE PAS QU'ELLE S'APPELLE REVIENS!
?

WOUAOUH!
TROP KAWAÏ TON STYLO LOUPIOTE, M'MAN. TU M'LE PRÊTES?

ET IL S'APPELLE REVIENS!
?

HÉ LÀ!!!
MON ROULEAU DE SCOTCH S'APPELLE REVIENS!!!

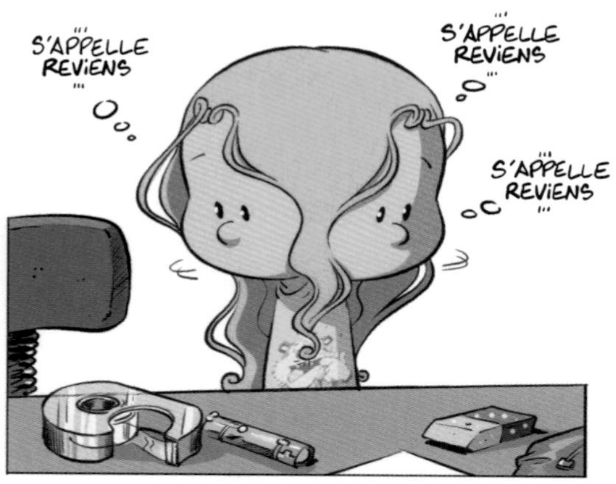

S'APPELLE REVIENS
S'APPELLE REVIENS
S'APPELLE REVIENS

BIP
BIP
BIP

VACH! MAIS COMMENT VOUS FAITES POUR PAS VOUS TROMPER, VU QUE ÇA S'APPELLE TOUT PAREIL ???
?
?
PROMO
4 STYLOS FLUO POUR LE PRIX DE 3
PAS TOUCH
BIP!

CAZENOVE & WILLIAM

C'EST UNE TACTIQUE MÉGA COSTAUDE QUE J'AI VUE DANS UN FILM ET ÇA MARCHE À TOUS LES COUPS...
BABY BABY

ÉTAPE 1 : LOULOU FAIT CROIRE À WENDY QUE JE SUIS EN TRAIN D'APPRENDRE PAR COEUR SON JOURNAL INTIME...
LA PESTE !!!
AGRRR...

ÉTAPE 2 : WENDY MONTE À FOND LES BALLONS DANS SA CHAMBRE... MAIS ELLE EST VIDE...
GRRUMBLL...

ÉTAPE 3 : WENDY VÉRIFIE QUE SON JOURNAL CHÉRI SECRET EST TOUJOURS LÀ, DANS SA SUPER CACHETTE...
OUF !

ÉTAPE 4 : WENDY REPART CARRÉMENT TROP RASSURÉE...

ÉTAPE 5 : JE SORS DE MA SUPER PLANQUETTE SOUS LE LIT... ET MAINTENANT, JE SAIS OÙ SE TROUVE SON CHER JOURNAL.
GNIARK GNIARK GNIARK !

ÇA SERT DE REGARDER LA TÉLÉ DES FOIS...

...DOMMAGE QUE J'AI OUBLIÉ QUE C'ÉTAIT AVEC WENDY QUE JE L'AVAIS VU CE FILM.

CAZENOVE & WILLIAM

MARINE A CHOPÉ UNE NOUVELLE MANIE...
"LA VACHE QUI RIGOLE" OU "LE NULTELA" POUR LE GOÛTER ???

AMS TRAM DRAME PIQUET PIQUET COLLE EN GRAMME BOURREZ BOURREZ LE TAM TAM, AMS TRAM DRAME
CHOMP

POUR CHOISIR UN DVD C'EST PAREIL...
AMS TRAM DRAME PIQUET PIQUET COLLE EN GRAMM' BOURREZ BOURREZ...

...UNE BD AUSSI...
AMS TRAM DRAME PIQUET PIQUET COLLE EN GRAMME AMS TRAM DRAME...
PLOUM PLOUM

TIENS MARINE, ESSAYE AVEC ÇA.
AVEC UNE PIÈCE DE 1 EURO ?
Y A RIEN DE MIEUX QUE LE PILE OU FACE POUR CHOISIR ENTRE DEUX POSSIBILITÉS, T'SAIS.
TINK!

AH BEN, ÇA TOMBE IMPEC, J'AVAIS DU MAL À CHOISIR ENTRE ÉCOUTER LE DISQUE DE KATTY POURRI ET CELUI D'ISAYA...
NIKOL CRÈME !!!

HEU... PAR CONTRE, EST-CE QUE JE DEVRAIS LA FAIRE ROULER OU LA LANCER EN L'AIR ?
MMM...

AMS TRAM DRAME PIQUET PIQUET COLLE EN GRAMME AMS TRAM DRAME...

CAZENOVE & WILLIAM

PFIOUU... C'EST QUOI CE BOUCAN, MARINE ???
CHAIS PAS. MAIS C'EST MÉGA PÉNIBLE !

NOOON... UN TROUPEAU DE GARÇONS.
CHEZ MOI EN PLUS.

POURQUOI WENDY INVITE DES GARÇONS À LA MAISON ? ELLE A UN CÂBLE QU'A FONDU OU QUOI ?
EN PLUS, ÇA SERT À RIEN UN GARÇON...

"...ÇA JOUE TOUJOURS AU FOOT"
"OU À LA NINTENDOX DEVANT LA TÉLÉ."
"ÇA SENT PAS BON"
"C'EST BÊTE COMME UNE CHAUSSETTE"
"ÇA FAIT DU BRUIT"

ET PIS C'EST PLUS COSTAUD QUE LES FILLES !

MAIS OUI, C'EST ÇA LOULOU... WENDY VA DÉMÉNAGER ET ELLE A BESOIN DE PLEIN DE GARS POUR PORTER LES CARTONS !

DIS, JE VEUX BIEN T'AIDER POUR TON DÉMÉNAGEMENT, MAIS C'EST QUAND QU'ILS NOUS DONNENT UN COUP DE MAIN TES COPAINS ?
Affaire à Wendy
Affaire à Wendy

CAZENOVE & WILLIAM

ET TU SAIS SI EMMA VIENT AVEC NOUS AU CINÉ ?
NON, FAUT QUE J'LUI DEMANDE.

JE PENSAIS QUE TU LUI AVAIS ENVOYÉ UN TEXTO.
PAS LA PEINE.

POURQUOI, ELLE N'A PLUS SON PORTABLE ? SES PARENTS LUI ONT CONFISQUÉ ?
LA CATA !!!

MAIS NON, C'EST PAS ÇA.
SINON, ON PEUT ALLER CHEZ ELLE ...
... ELLE HABITE PAS LOIN D'ICI.

TE CASSE PAS LA TÊTE SAMMIE, EN FAIT, J'AI BIEN PLUS RAPIDE QUE ÇA.
PLUS RAPIDE QU'UN SMS, BEN VOYONS, PRENDS-MOI POUR UN DINDON.

MAIS SI ÇA S'APPELLE UN "MSM" !
UN QUOI ???

LE "MSM" : MA SISTER MARINE !
ARF... ALORS... FIOU... ET JE SAIS AUSSI QUE WENDY ET SAMMIE AIMERAIENT SAVOIR SI TU VEUX ALLER ... ARF
... AVEC ELLES, AU CINOCHE ... PFIOU...
PFIOU
ET PATATI ET PATATA...
?

CAZENOVE & WILLIAM

PFFF... T'ES SÛRE QUI Z'EN ONT MIS DU MUGUET CETTE ANNÉE ?
LOL ! PERSONNE N'EN MET, BANANE, ÇA POUSSE TOUT SEUL.

BEN C'EST CLAIR QUE ÇA POUSSE PLUS DANS LE COIN ALORS...
C'EST NUL !
IL FAUT FOUILLER UN PEU MIEUX...
...C'EST ÇA QUI EST RIGOLO QUAND ON VA CUEILLIR DU MUGUET.

MOI J'AI ASSEZ RIGOLÉ ! C'EST UN BOUQUET D'HERBE QUE JE VAIS RAMENER À MAMAN...
... ÇA FERA PAREIL !
CARACTÈRE DE COCHON, TOI, J'TE JURE.

JE T'AI DIT QUE LE MUGUET ÉTAIT TOUJOURS BIEN CACHÉ...
!
...ÇA SERAIT TROP FACILE SINON...

MAIS QUE...

MARIIINE... ALLEZ, REVIENS, C'EST BON, JE VAIS T'AIDER ...

5 MINUTES PLUS TARD...
NON MAIS TU FAIS QUOI ENCORE DANS MA CHAMBRE ? ESPÈCE DE FOUINEUSE !!!

TOUS LES TRUCS QUE J'AI TROP ENVIE D'AVOIR SONT TOUJOURS BIEN CACHÉS DANS TA CHAMBRE, ALORS Y A SÛREMENT DU MUGUET.
W

CAZENOVE & WILLIAM

BIIP
BIIP
BIIP

HIN
HIN
HIN
CLOC!

W
HIN
HIN
HIN

ROOONFL
NNNZ

CHAT!

?
AH
AH
AH

!
Justin Baey

QUAND ON DIT QU'UNE PARTIE EST TERMINÉE, ELLE EST TER_MI_NÉE !!!
DE TOUTE FAÇON, T'ES QU'UNE MAUVAISE JOUEUSE!
BONK
BONK
UNO
BIG ACTION

CAZENOVE & WILLIAM

OOOH... RAIPONCE... VOS CHEVEUX SONT AUSSI BEAUX QUE LA CRINIÈRE DE MES CHEVAUX.
TADAAAM SUPER M

VOUS ÊTES TROP CHOU FLYNN RIDER... ET QUELS ESPECTORAUX MUSCULEUX...
JE ME SENS TROP NAMOUREUSE DE VOUS.

EMBRASSEZ-MOI SUR LA BOUCHE. VOUS SENTEZ SI BON, PRESQUE PLUS BON QU'UN POT DE NULTELA.

HEU... T'AS TOUT FAUX POUR LE BISOU, LOULOU.

LE BRAS DE FLYNN DOIT ALLER SUR L'AUTRE ÉPAULE DE RAIPONCE...
COMME ÇA ELLE TOMBERA PAS À LA RENVERSE...
C'EST COMME À LA TÉLÉ TU VOIS ?!
WAAH!

MAIS ÇA PEUT PAS ALLER, REGARDE, LEURS NEZ SE TOUCHENT.

ATTENDS, JE REVIENS DE SUITE.

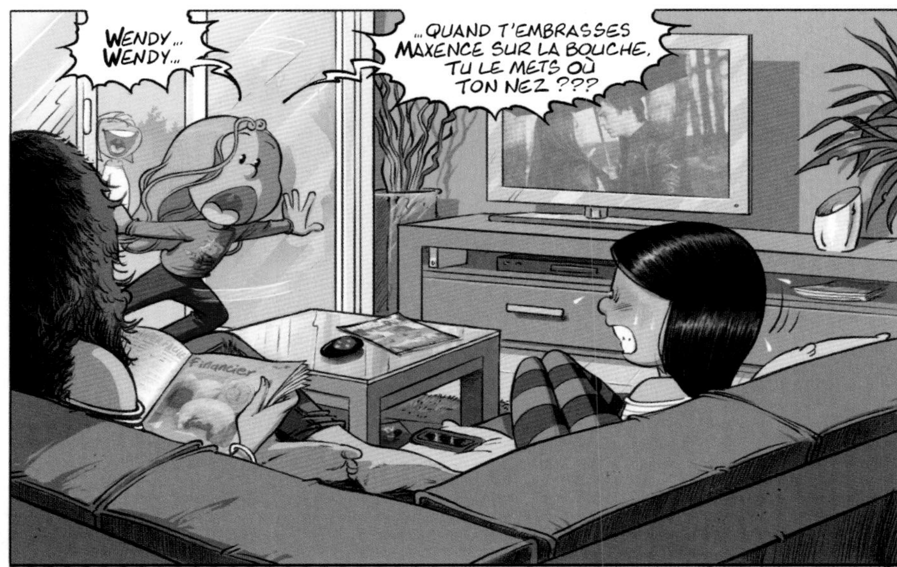

WENDY... WENDY...
...QUAND T'EMBRASSES MAXENCE SUR LA BOUCHE, TU LE METS OÙ TON NEZ ???

CAZENOVE & WILLIAM

9H00

9H30
FROCH
FROCH
FROCH

10H00

10H30

11H00
DU KI PIK
DU KI PIK PAS

11H30

12H00

MOI JE TE DIS QUE C'EST PAS JUSTE UN MIROIR. ÇA DOIT FAIRE TÉLÉ OU LECTEUR DVD, J'PARIE.
AH OUAIS... CE QUI EXPLIQUERAIT POURQUOI MA SISTER PASSE DES HEURES DEVANT...

CAZENOVE & WILLIAM

CE MIDI, EN RENTRANT DE L'ÉCOLE, J'AI EU UNE DRÔLE DE SURPRISE...

OOOH... HÉÉÉ... C'EST MOI QUE V'LÀ...

JE SUIS REVIENDU DE L'ÉCOLE... J'AI FAIM, J'AI SOIF... OOOH HÉÉÉ...

MAIS Y A PERSONNE POUR M'ACCUEILLIR DANS CETTE BARAQUE ? ILS ONT PAS ÉCOLE LES PARENTS POURTANT ?!

?
BEUH... MAMAN, POURQUOI TU MESURES MON LIT... IL GRANDIT LUI AUSSI ???

BEN... TU SAIS MON ANGE, ÇA FAIT LONGTEMPS QUE...
ME DIS PAS QUE VOUS ALLEZ LE JETER ?!
IL VOUS A RIEN FAIT MON LIT !

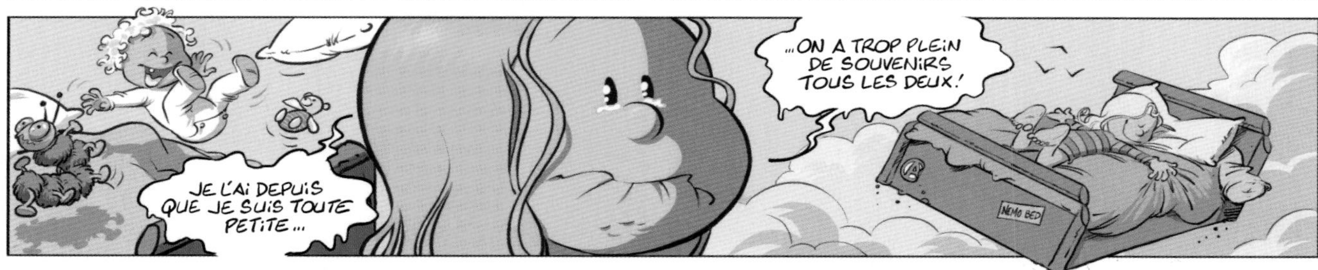

JE L'AI DEPUIS QUE JE SUIS TOUTE PETITE...
...ON A TROP PLEIN DE SOUVENIRS TOUS LES DEUX !
NÉMO BED

BON, C'EST COMME TU VOUDRAS, MARINE...

NOUS PENSIONS TE CHANGER TA CHAMBRE ET TE PRENDRE UN LIT DE GRANDE, MAIS SI TU PRÉFÈRES GARDER CELUI-CI...

FAITES PLACE... JE DESCENDS AUSSI MA BIBLIOTHÈQUE ET MON BUREAU... ALLEZ ! ALLEZ !

CAZENOVE & WILLIAM

MON NOUVEAU LIT, IL EST EMBÊTANT...
KRRRiii
CRRAK
iiRKR

... IL ARRÊTE PAS DE FAIRE DU BRUIT...
CRRRiii
iiiCRAK
CROHRK
iiK

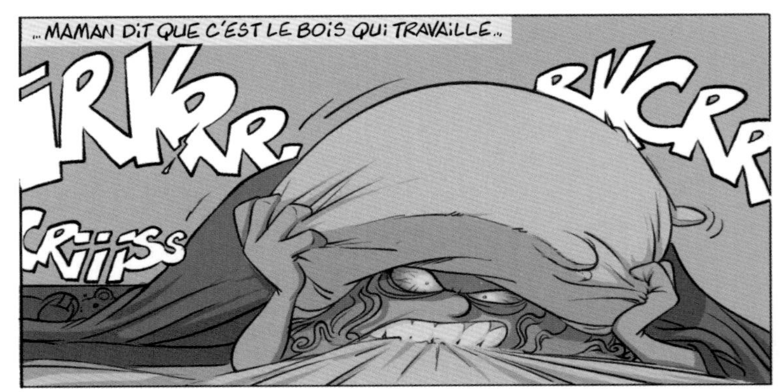

... MAMAN DIT QUE C'EST LE BOIS QUI TRAVAILLE...
RKCRR
CRiiSS

COMME SI C'ÉTAIT UNE HEURE POUR TRAVAILLER, NON MAIS...
GRUUL
CROiiiK
CRAK

WENDY, J'PEUX V'NIR AVEC TOI, STEUPLÉ...
... Y A MON LIT QU'ARRÊTE PAS DE FAIRE PLEIN DE BOUCAN.
GNFR FRGNN GZZZ...

LE LIT DE WENDY AU MOINS, ON L'ENTEND PAS.
RONFL
ZZZ

PAR CONTRE, IL FAUDRA QUE JE PENSE À CHANGER DE SISTER.
BRROOONFLL...
HiN HiN
RROOONFL...

CAZENOVE & WILLIAM

QUAND ON JOUE AU TENNIS, MARINE FAIT TOUJOURS SA MALIGNE ...ÇA M'ÉNEEEERVE.
HÉ HÉ, C'EST MOI QUI FAIS LE SERVICE.

NON MAIS REGARDEZ-MOI CE LIFT.

15 A PARTOUT, AVEC ÉGALITÉ !
TU PEUX COMPTER, IL EN MANQUE PAS UN.

ET HOP ! JE MONTE AU FILET.
AH AH AH

FAIS GAFFE WENDY, JE SUIS LA REINE DU REVERS.

BON, T'ARRÊTE DE FAIRE TA DEMEURÉE.
ON PEUT COMMENCER À JOUER OUAIS ?!

RAAH C'EST BON, PFFF... TU COMPRENDS RIEN À MES BLAGUES.
POC !

NORMAL, FAUT ÊTRE CALÉE EN TENNIS, COMME MOI...
ALLEZ, J'ENGAGE !

CAZENOVE & WILLIAM

J'AAADOOOOORE MON NOUVEAU LiiiiT!
Z-DOïNG!

iL EST TROP TROP GÉNiAAAL !!!

iL EST SUPEEER GiGAAA GRAAAAND !!!
YOUHOOU!
JE KiFF' LALAïF !!!
JE QUiTTERAi PLUS JAMAiS MA CHAAAAMBRE...

RRRAAAAH... MAiS KESS TU FiCHES ENCORE DANS MA CHAMBRE ???

ALLEZ ZOU! T'AS 2 SECONDES POUR DÉBARRASSER TES ORTEILS DE LÀ.
ROOOGNTJUU.
LA MARSUPiMARiNE, ELLE VA TRAMPOLiNER SUR SON LiT.

ATTENDS, MAiS iL EST TOUT NEUF LE MiEN... JE VOUDRAiS PAS L'ABiMER EN SAUTANT DESSUS COMME UNE DÉBiLOS!

CAZENOVE & WiLLiAM

BILIBILIBILI
JE PRENDS !!!
JE PRENDS !!!

M'MAN, C'EST POUR TOI...
TATIE COCO.

WENDY... POUR TOI !!!
...TON NAMOUREUX !!!

P'PA ...
... TON NEZ DITEUR.

GRAAAH... FAUX NUMÉRO!

PEUH
SONT NULS !!!

MARIIIIIINE... TÉLÉPHOOOOONE...
WAAHH, QUI ÇA PEUT BIEN ÊTRE ???
J'SUIS TROP CONTENTE !!!

HÉ BÉ... TU DÉCROCHES PAS ?
MAGNE-TOI. SI ÇA SE TROUVE C'EST POUR MOI.
BILIBILIIII

CAZENOVE & WILLIAM

HÉ! MISS CRAMPON, SI TU VEUX VOIR LE FILM, C'EST DE L'AUTRE CÔTÉ QU'IL TE FAUT REGARDER, BANANE!
NON, NON, JE SUIS SÛRE QU'IL VA SE PASSER PLEIN DE TRUCS INTÉRESSANTS DE CE CÔTÉ-LÀ AUSSI!
CHEWBACCORN
CHEWBACCORN
CHEWBACCORN

CAZENOVE & WILLIAM

HOU HOU... LES FILLES... Z'AVEZ VU ?!
AH OUAIS, LA CLASSE !!!
WAAAH ! TROP KAWAÏ !

C'EST UN PARAPLUIE PANDA, MON ANIMAL PRÉFÉRÉ DE TOUJOURS.
ÇA L'FAIT, HEIN ?!
COMMENT QUE J'SUIS TROP JALOUSE.

LE PANDA, C'EST TROP MIMI, TROP CHOU, TROP GENTIL ET TOUT...
JE KIFFE !

POURTANT, J'AI VU À LA TÉLÉ QUE PARFOIS ILS POUVAIENT ÊTRE TRÈS AGRESSIFS !!!

ELLE EST NULLE TA TÉLÉ !
AU FAIT, C'ÉTAIT PAS LE PARAPLUIE DE TA SISTER, AU DÉBUT ?!

SI, SI. MAIS ELLE M'A DIT QU'ELLE ME LE DONNAIT !

DANS TES RÊVES, RASE-MOTTES ! ÇA FAIT DES PLOMBES QUE JE LE CHERCHE.
PLITCH
PLITCH

TRÈS AGRESSIF CET ANIMAL. J'AVAIS BIEN RAISON !
J'EN AI MARRE QUE TU ME PIQUES MES AFFAIRES !
TUNK TUNK
AÏE ! AÏE !

CAZENOVE & WILLIAM

CHOP!

CHOP!

?
POM
POM
POM

POC!

J'T'EMPRUNTE 5 OU 6 PELUCHES WENDY !
MERCI !

AYÉ. J'AI PIGÉ... TU PRÉPARES UNE BRADERIE, HEIN ?! C'EST ÇA ?!

MAIS PAS DU TOUT ! ATTENDS, T'IMAGINES PAS LE NOMBRE DE PELUCHES QU'IL FAUT POUR COUVRIR MON NOUVEAU GRAND LIT...
C'EST LA FOLIE !!!

CAZENOVE & WILLIAM

MARINE A ENCORE FAIT SA PÉNIBLE AUJOURD'HUI...
MAM', J'PEUX FAIRE LA JOURNÉE D'INITIATION À L'ÉQUITATION CET APREM ?
MAIS BIEN SÛR, MA GRANDE !!!

WAAAH ! C'EST ZACTEMENT CE QUE J'ALLAIS DEMANDER, MOI AUSSI.
YAHOOU !
J'ADORE TROP LES KIT'ACTION... J'VEUX Y ALLER ! J'VEUX Y ALLER ! J'VEUX Y ALLER !

BREF, J'AI DÛ ME COLTINER MISS CRAMPON AU PONEY CLUB.
CENTRE ÉQUESTRE
SECTION TRIPLE GALOP
ÉCURIES
TU CROIS QUE C'EST LÀ, WENDY ?

ÉVIDEMMENT, IL LUI A FALLU LE MÊME ÉQUIPEMENT QUE MOI...
MAINTENANT, ON EST DES VRAIES CHEVALIÈRES !!!

... LE MÊME GENRE DE CHEVAL...
C'EST ÇA MON DOUBLE PONEY ? IL EST PASSÉ OÙ LE DEUXIÈME ?

ET LE MÊME PARCOURS... MISS POT DE GLU JUSQU'AU BOUT.
TOUT LE MONDE EN SELLE POUR LA PETITE BALADE DANS LES BOIS.

ET AU MOMENT DE PARTIR EN BALADE...

... PLUS DE MARINE... DISPARUE...
?
C'EST BIEN MA SISTER, ÇA !

CAZENOVE & WILLIAM

BABY BABY BABY HOOUU
ROUL' ROUL'

HÉ OOOH... LA MOLLASSONNE, TU TE BOUGES OUAIS ?!
ARF ! ATTENDS... 2 MINUTES STEUPLÉ ! ...

...Y A UN BIDUCHTRUC QUI ME GÊNE ET ÇA M'HORRIPUSTULE DE FAIRE DU ROLLER COMME ÇA...
OK,OK, MAIS GROUILLE-TOI !

M'ÉNERV' M'ÉNERV' ...

M'ÉNEEERVEEEU RAAHHHH...

EN ATTENDANT, C'EST MOI QUE TU ÉNERVES ! T'AS BIENTÔT FINI OUI ?!

J'SUIS GRANDE MAINTENANT, J'AI PLUS BESOIN DE PETITES ROUES...
CLOC
CLOC
ET ELLES ME FAISAIENT PLUS TOMBER QU'AUTRE CHOSE EN PLUS.

CAZENOVE & WILLIAM

HUM HUM...

SE FAIRE UNE ROBE DANS LES RIDEAUX DU SALON...
...JE L'AI DÉJÀ FAIT QUAND J'AVAIS 6 ANS.

FAIRE DES COCOTTES EN PAPIER AVEC LES BD DE PAPA...
J'L'AI FAIT AUSSI.

LA PEINTURE DANS LE FOND DE TEINT DE MAMAN...
...UN DE MES GRANDS CLASSIQUES.

RASER LE CANAPÉ...
...JE LE FAISAIS AU MOINS UNE FOIS PAR AN.

J'EN AI DES TONNES ENCORE À TE RACONTER SI TU VEUX.
ALLEZ, À CE SOIR.

DES TONNES ?!

TIENS M'MAN, J'AVAIS TOUTE UNE LISTE DE BÊTISES À FAIRE...
...SI TU POUVAIS BARRER CELLES QUE WENDY A DÉJÀ FAITES, ÇA ME FERAIT GAGNER DU TEMPS.
?

CAZENOVE & WILLIAM

DIS, WENDY... TU CROIS QUE LA LUNE ELLE POURRAIT EMBRASSER LE SOLEIL ???
PFFF... FAUT TOUJOURS QUE TU BLABLATES, TOI.

NON MAIS SÉRIEUX, ELLE POURRAIT LUI FAIRE UN BISOU QUAND Y A DES CLIPSES TU CROIS PAS ???
PORTNAWAK !

OU ALORS, ELLE EST FÂCHÉE AVEC LE SOLEIL.
C'EST POUR ÇA QU'ELLE A CE TEINT BAFFE ART, ELLE EST KRO TRISTOUNETTE !!!

TIENS, V'LÀ TON MAXOU QUI REVIENT DE LA FÊTE...
... HEU... IL DONNE LA MAIN À SAMMIE... C'EST NORMAL ÇA ?

BOUHOUOUHOUhouhou...
?!

BAH, ALLEZ, PLEURE PAS VA...

... SI ÇA SE TROUVE, LA LUNE, ELLE A MÊME PAS DE SISTER POUR LA CONSOLER.

CAZENOVE & WILLIAM

HÉ MARINE, ÇA TE DIT SI ON PASSAIT LA JOURNÉE ENSEMBLE ?
RIEN QUE TOI ET MOI.

C'EST VRAI ? C'EST PAS POUR DES BLAGUES ?
BEN NON! ON EST SISTERS OU PAS ?!

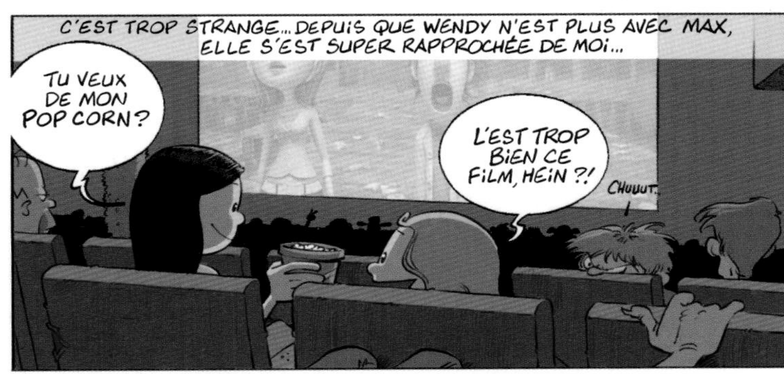
C'EST TROP STRANGE... DEPUIS QUE WENDY N'EST PLUS AVEC MAX, ELLE S'EST SUPER RAPPROCHÉE DE MOI...
TU VEUX DE MON POP CORN?
L'EST TROP BIEN CE FILM, HEIN ?!
CHUUUT.

FRAISE ET CITRON, MES PARFUMS PRÉFÉRÉS.
MOI AUSSI. C'EST CELLE-LÀ QUE J'ADORE TROP!

ON S'EST RACONTÉ PLEIN DE SECRETS ET TOUT...
AH AH AH, T'AURAIS VU LA TÊTE D'AUDREY!
TROP LOL!
MUHAHAHA... PIPI, PIPI HI HI HI

... J'AVAIS PRESQUE L'IMPRESSION DE JOUER LE RÔLE QUE MAXENCE JOUAIT AVANT...
ON FAIT QUOI MAINTENANT WENDY ?
ON VA S'INSTALLER SUR CE BANC DÉJÀ...

LE RÔLE DE MAXENCE ...

OK! MAIS T'AS PAS INTÉRÊT D'ESSAYER DE ME FAIRE UN KISS AVEC LA LANGUE, J'TE PRÉVIENS !!!

CAZENOVE & WILLIAM

LOVE
LOVE
LOVE

?!

QUELLE MOUCHE DÉBILE L'A ENCORE PIQUÉE ???

À TOUS LES COUPS, ELLE A PASSÉ SON MERCREDI MATIN À FARFOUILLER DANS MES AFFAIRES...
GRUMBL

... OU ELLE M'A CHIPÉ DU PARFUM, MON DÉO, MES PINCES À CHEVEUX OU MON VERNIS, J'PARIE.
RRRRRRRR

NON. ELLE N'A MÊME PAS TOUCHÉ À MON JOURNAL... TOUT EST EN PLACE.

HÉ TOI, LA DEMI-PORTION, TU ME CHERCHES LÀ ?!
QUI, MOI ?!

OUI TOI... QU'EST-CE QUE TU FAISAIS DANS MA CHAMBRE, HEIN ? TU AS FAIT UNE BÊTISE ENCORE, HEIN ?! ALLEZ, AVOUE !!!
AH NON, J'AI RIEN FAIT. JURÉ CRACHÉ !!!

JE M'ENTRAÎNE JUSTE À DÉGUERPIR À DONF POUR LE JOUR OÙ J'EN FERAI VRAIMENT UNE.

CAZENOVE & WILLIAM

WENDY HOU HOU WENDY ...
... J'AI UNE GIGA BONNE NOUVEEELLE ...

SI T'AS BESOIN DE MASSAGES, J'SUIS UNE SUPER PRO.
ET REGARDE, J'AI FAIT DES TARIFS DE DINGO.
PAS ENVIE.

MAIS SI !
5 CENTIMES LE MASSAGE DES PIEDS. 3 CENTIMES LE MASSAGE DU DOS, 2 CENTIMES LA TÊTE ...
... POUR LES COUDES ET LES GENOUX, C'EST DONNÉ.
Maçage
pié 5
do 3
gambe 1
coudde 0
jeu nous 0

J'SUIS OCCUPÉE LÀ, AU CAS OÙ T'AURAIS PAS REMARQUÉ.
ALORS ZOU ! DU VENT !!!

LAISSE-MOI TE MONTRER... ...J'ME SUIS ENTRAÎNÉE SUR DOUDOU ET IL M'A DIT QUE J'ÉTAIS KRO DOUÉE.
PAR QUOI JE COMMENCE ?
GNI ! !
J'Y CROIS PAS !!!

MON DOS VA TRÈS BIEN, ALORS FICHE-MOI LA PAIX ET VA JOUER À COLIN-MAILLARD SUR LA FALAISE !!!

ET HOP !
TU M'EN DIRAS DES NOUVELLES.
CRAK !

HEU... HI HI... HUM, POUR LA PREMIÈRE SÉANCE, JE TE LE FAIS POUR RIEN BIEN SÛR.
AGRRR...

CAZENOVE & WILLIAM

LOULOU VA FAIRE UNE MÉGA TEUF CE SOIR...
YAHAOOOU!

FAUT QUE J'M'ENTRAINE... J'AI PRÉPARÉ PLEIN DE CARRÉ GRAPHIES TROP TOP...

LA DANSE DU SAC POUBELLE...
ÇA DÉCHIRE!

LA DANSE DE L'ESCALIER...
...TROP MORTEL!

LA DANSE DU TUYAU D'ARROSAGE...

...LA DANSE DE LA VAISSELLE...

LE SOIR
BEN, MARINE, TU DANSES PAS ???

SI, MAIS T'AURAIS PAS UN ESCALIER OU UNE POUBELLE ???
OU MÊME DE LA VAISSELLE À FAIRE ?
?

CAZENOVE & WILLIAM

T'AS INTÉRÊT À ÊTRE DÉSOLÉ MAXENCE... T'ES QUAND MÊME SORTI AVEC MA MEILLEURE AMIE...
HOULÀÀÀÀ... Y A DE L'EAU CHAUDE DANS LE GASPACHO !

MAIS, JE PEUX T'EXPLIQUER WENDY... EN FAIT, JE SUIS PAS SORTI AVEC...
... ENFIN SI, MAIS NON...

... ELLE ÉTAIT LÀ ET PUIS... ENFIN... TU VOIS... ET COMME MOI J'ÉTAIS LÀ AUSSI... ENFIN, JE, ON, NOUS...
... JE L'AI JUSTE RACCOMPAGNÉE, TU VOIS ?!

C'EST TOI QUI ME PLAIS WENDY, PAS ELLE DU TOUT, J'TE JURE...
BON, OK, ELLE EST SYMPA AUSSI, MAIS, MAIS... PAS COMME TOI T'SAIS... JE...

JE... TU VEUX BOIRE UN TRUC, WENDY ?
JE... JE REVIENS
OUPS ! Y RAPPLIQUE.

TU ÉCOUTAIS CE QU'ON SE DISAIT AVEC TA SISTER ?!
HEIN ? QUELLE SISTER ?

TU VEUX QUE JE TE FILE UN COUP DE MAIN POUR TES DEVOIRS ?

NON NON, C'EST BON ! ET PUIS, T'ES VRAIMENT TROP NUL EN EXPLIQUATIONNAGE DE TOUTE FAÇON...

CAZENOVE & WILLIAM

FINALEMENT, MARINE A CHOISI DE FAIRE DE L'ESCALADE...

...AVEC OPTION HAUTE MONTAGNE.

UN TRUC DE PRO QUOI...
CROPS
CROPS

HÉ ! MAIS C'EST MARINE, LÀ-BAS !
HOUHOU, MAARIINÉE !
BIP BIP

T'ÉTAIS AU COURS D'ESCRIME ? JE T'AI PAS VUE.
ESCALADE !

WAH ! ÇA DOIT ÊTRE TROP BIEN L'ESCALADE !
PFFF JE DÉTESTE ÇA OUI.

MAIS ALORS POURQU...
MARIIINE !
?

T'AS ENCORE BOUSILLÉ MA NINTENDOX !
AGRRR...
AH OK... JE COMPRENDS MIEUX POURQUOI L'ESCALADE...
OUAIP ! QUESTION DE SURVIE.

CAZENOVE & WILLIAM

PFIOU... DRÔLE DE JOURNÉE AUJOURD'HUI...

...D'ABORD, C'EST MAXENCE QUI EST VENU S'EXCUSER AUPRÈS DE WENDY POUR ÊTRE SORTI AVEC SAMMIE...
BOUHOUHOUHOU...

... APRÈS, C'EST SAMMIE QUI A DEMANDÉ PARDON À WENDY POUR LUI AVOIR PIQUÉ SON COPAIN...
PARDON PARDON PARDON

...ELLE S'EST AUSSI EXCUSÉE AUPRÈS DE MAXENCE...
VOUS ÊTES SI BIEN ASSORTIS TOUS LES DEUX.

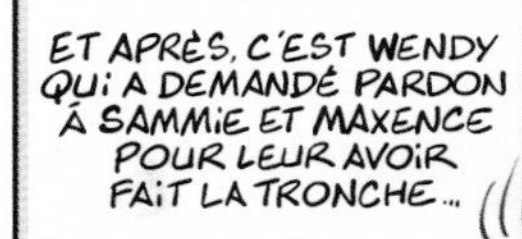
ET APRÈS, C'EST WENDY QUI A DEMANDÉ PARDON À SAMMIE ET MAXENCE POUR LEUR AVOIR FAIT LA TRONCHE...

J'VOUS AIME TROP TOUS LES DEUX !

TSSS... VOUS ÊTES VRAIMENT TROIS GROS DÉBILOS !
FAITES PITIÉ.

MAIS ENFIN MARINE, POURQUOI T'ES SI MÉCHANTE ? POURQUOI TU DIS ÇA ?

JUSTE POUR POUVOIR M'EXCUSER MOI AUSSI...
...J'ADORE TROP LES CÂLINS !

CAZENOVE & WILLIAM

MARINE A TOUT ESSAYÉ...
SI JE GAGNE LA PARTIE, TU ME DONNES MON CADEAU D'ANNIV' D'ACCORD ?!
NO SOUCI !!!

SI J'ARRIVE LA PREMIÈRE, JE POURRAI L'AVOIR ?!
T'INQUIÈT'...

ON DIT QUE J'AURAI MON CADEAU SI JE FAIS DAME.
MAIS OUI, MAIS OUI ...

SI TU FAIS MOINS DE REBONDS QUE MOI, J'AI MON CADEAU !
ÇA FAIT DÉJÀ 3.
YES !

MÊME SI JE REBONDIS UNE FOIS PLUS HAUT QUE TOI...
J'AURAI MON CADEAU !!!
- LOL !

ET C'EST COMME ÇA TOUS LES JOURS DEPUIS SON ANNIV.
MAIS, ÇA FAIT PLUS DE 3 MOIS DÉJÀ ?!
T'ABUSES WENDY !

C'EST ELLE QUI TIENT À L'AVOIR EN ME BATTANT À UNE ÉPREUVE.

MAIS JE CROIS QU'ELLE FINIT PAR SE LASSER, LÀ...
SI J'ARRIVE À ÊTRE PLUS PETITE QUE TOI, J'AURAI MON CADEAU !!!

CAZENOVE & WILLIAM

J'ESPÈRE QUE T'ES PRÊTE, MARINE ?
ARCHI PRÊTE !!!
ALORS TU AS 3 MINUTES POUR TROUVER TON CADEAU.

3... 2... 1... C'EST PARTI !!!
TIP
J'VAIS TROUVER !!!

J'VAIS TROUVER !
J'VAIS TROUVER !
J'VAIS TROUVER !
J'VAIS TROUVER !

WOUAAH ! MAIS, ELLE DÉTRUIT SA CHAMBRE, LÀ...
OUAIP ! LOL ! C'EST TROP DÉLIRE DE LA VOIR TOUT DÉMONTER.

ET SI ELLE LE TROUVE SON CADEAU ?
PAS DE RISQUE. JE L'AI SUR MOI.

!

ALLEZ, ENCORE UNE MINUTE TRENTE À TENIR.
J'VAIS TROUVER !
ARF !
J'VAIS TROUVER !
ARRÊTE-MOI CE CHRONOOo !!!

CAZENOVE & WILLIAM

MOI, J'ADORE FAIRE DES BIG CÂLINOUS.

À MAMAN ET PAPA BIEN SÛR... HOP! UN CÂLINOU SURPRISE...
RAAAH MAIS AAARG

... À MES MEILLEURES COP'S DE TOUJOURS...
HEU... LA MAITRESSE NOUS REGARDE MARINE...

... AUX NAMOUREUX DE MES COP'S...
J'TE JURE QUE J'Y SUIS POUR RIEN... C'EST ELLE QUI ...

... AUX COP'S DE MA SISTER...
HOULÀ! ÇA DEVIENT STRANGE LÀ...

POUR WENDY, JE RUSE CAR ELLE EST PAS TOUJOURS D'ACCORD POUR LE BIG CÂLINOU...
LE COURRIER EST ARRIVÉ ...
OOOH... UN MAG POUR ADO...

ET COMME ELLE SUPPORTE PAS QUE JE LE LISE AVANT...
PAS TOUCHE À MON MAAAG!

ET HOP! UN BIG CÂLINOU QUAND MÊME!

CAZENOVE & WILLIAM

SPÉCIALITÉ DE MARINE LA CHEF : "COOKIES KRO DÉLICIEUX".
ÇA TE FERA OUBLIER MAXENCE TU VERRAS ...

MMM... MERCI.
Y A PLEIN DE CHOSES DEDANS, TU VAS KRO ADORER.

OH PUNAISE, ÇA A LE GOÛT DES PIEDS.
ILS SONT AU CHOCOLAT, CAMEMBERT ET LAITUE POUR LA COULEUR.
BEURK !
J'AMÈNE LA SUITE.

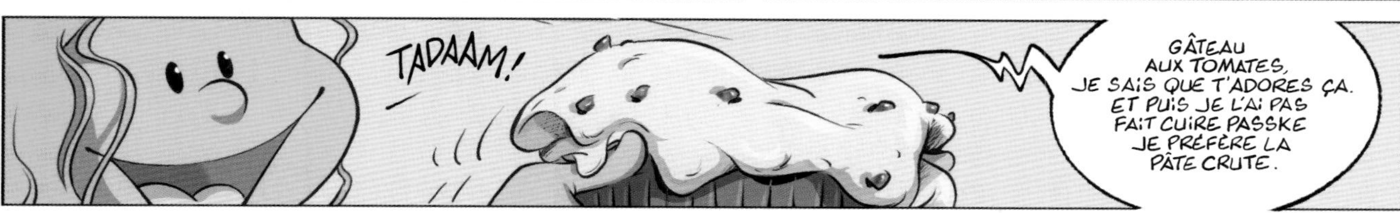

TADAAM !
GÂTEAU AUX TOMATES, JE SAIS QUE T'ADORES ÇA. ET PUIS JE L'AI PAS FAIT CUIRE PASSKE JE PRÉFÈRE LA PÂTE CRUTE.

ET UN COCKTAIL MAISON POUR FAIRE PASSER TOUT ÇA...
POUAH !
J'AI MIS TOUT CE QUE J'AI TROUVÉ DANS LE FRIGO : POMMES, COURGETTES, CHOU-FLEUR ...

DEMAIN, JE TE PRÉPARERAI UNE TARTE AUX FLEURS ...
... J'AI TROUVÉ LA RECETTE DANS UNE BD.
BEUH !

NON, C'EST VRAI WENDY ??? ALORS, TU VEUX BIEN RESSORTIR AVEC MOI ?

BEN, OUI, J'AIME AUTANT ...
?
...MON ESTOMAC NE TIENDRA JAMAIS LE COUP SINON.

CAZENOVE & WILLIAM

DIS, WENDY, TU TE SOUVIENS COMME JE TE COLLAIS QUAND ON ÉTAIT PETITES ?
...PIRE QU'UN CHEWING-GUM SOUS UNE BASKET.

MOI, JE DIRAIS PLUTÔT UN CRAMPON.

ET QUAND JE ME PLANQUAIS DERRIÈRE UN BUISSON POUR VOUS REGARDER FLIRTER.
ET TU CROYAIS QU'ON TE VOYAIT PAS TSSSS...
TRANCH !
TRANCH !
COUP !

ET QUAND JE M'INCRUSTAIS ENTRE VOUS DEUX AU CINÉ...
... LOL, TU TIRAIS UNE DE CES TÊTES À CHAQUE FOIS.
ET TOI TU DISAIS QUE C'ÉTAIT POUR NE PAS AVOIR FROID.

Y A MÊME UNE FOIS OÙ J'AVAIS DISSIMULÉ UN TALKIE-WALKIE SOUS TON OREILLER...
... C'ÉTAIT POUR ÉCOUTER CE QUE TU BLABLATAIS À TON PETIT COPAIN AU TÉLÉPHONE.
L'A FINI AUX ORDURES, TON TALKIE !

HI HI... QUAND J'Y PENSE... J'ÉTAIS PAS LOIN D'ÊTRE UNE PESTE... COLLANTE, FOUINEUSE, TAPE L'INCRUSTE...

ET SINON, VOUS ALLEZ MANGER QUOI DE BON AVEC MAXENCE ? J'AI UNE DALLE D'ENFER, MOI !
C'EST UNE MALÉDICTION. ON NE SERA JAMAIS, JAMAIS SEULS TOUS LES DEUX !!!
MMMPFF...

CAZENOVE & WILLIAM

À découvrir aux éditions BAMBOO

14 tomes + 1 n° spécial

Les PROFS

Les Profs
Scénario : Erroc
Dessins : Pica + Mauricet

13 tomes + 1 bêtisier

LES GENDARMES
Gendarmes à feu !

Les Gendarmes
Scénario : Sulpice & Cazenove
Dessins : Jenfèvre

11 tomes

LES POMPIERS

Les Pompiers
Scénario : Cazenove
Dessins : Stédo

12 tomes

LES FONCTIONNAIRES
URGENT

Les Fonctionnaires
Scénario : Béka
Dessins : Bloz

8 tomes

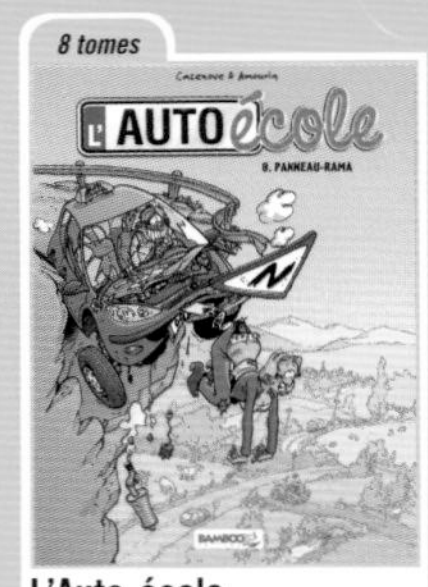
L'AUTO école

L'Auto-école
Scénario : Cazenove
Dessins : Amouriq

9 tomes

Les Toubibs

Les Toubibs
Scénario : Gégé & Bélom
Dessins : Sirvent

3 tomes

LES VÉTOS

Les Vétos
Scénario : Gilson
Dessins : Peral

10 tomes

RUGBYMEN
LES GARS, ENSEMBLE, ON EST UN GROUPE ÉLECTROGÈNE !

Les Rugbymen
Scénario : Béka
Dessins : Poupard

7 tomes

BASKET Dunk

Basket Dunk
Scénario : Cazenove & Plumeri
Dessins : Mauricet

7 tomes

Les Vélo MANIACS

Les Vélomaniacs
Scénario : Garréra
Dessins : Julié

1 tome

MAFIA TUNO

Mafia Tuno
Scénario : Richez
Dessins : Stédo

2 tomes

LES SCIENTIFLICS

Les Scientiflics
Scénario : Janssens
Dessins : Carrère

2 tomes

DÉZINGUEURS

Les Dézingueurs
Scénario : Richez
Dessins : Barbaud

1 tome

TATTOO MANIA

Tattoo Mania
Scénario : Cazenove
Dessins : Di Martino

2 tomes

Les Dinosaures

Les Dinosaures en BD
Scénario : Plumeri
Dessins : Bloz

1 tome

JEU DE GAMINS

Jeu de gamins
Scénario : Roux
Dessins : Roux

1 tome

LES PETITS MYTHOS

Les Petits Mythos
Scénario : Cazenove
Dessins : Larbier

1 tome

BOULE À ZÉRO

Boule à zéro
Scénario : Zidrou
Dessins : Ernst

1 tome

LES SUPER SISTERS

Les Super Sisters
Scénario : Cazenove
Dessins : William

6 tomes

Studio DANSE

Studio Danse
Scénario : Béka
Dessins : Crip

6 tomes

TRIPLE GALOP

Triple Galop
Scénario : du Peloux
Dessins : du Peloux

2 tomes

ZOÉ & PATACLOP

Zoé & Pataclop
Scénario : du Peloux
Dessins : du Peloux

2 tomes

Roméo & Juliette

Roméo & Juliette
Scénario : Erroc
Dessins : du Peloux

1 tome

Cath & son chat

Cath et son chat
Scénario : Richez & Cazenove
Dessins : Ramon

3 tomes

Les Fondus de la MOTO

Les Fondus de moto
Scénario : Richez & Cazenove
Dessins : Bloz

2 tomes

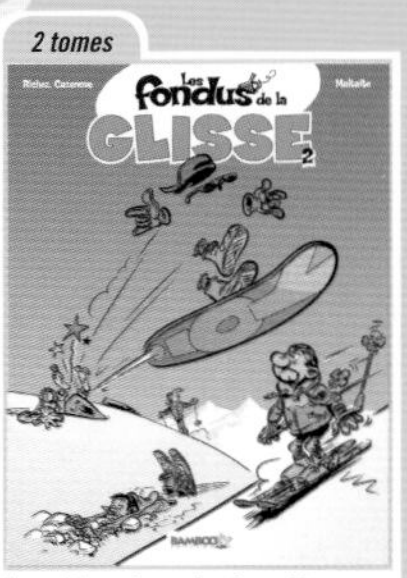
Les Fondus de la GLISSE

Les Fondus de la glisse
Scénario : Richez & Cazenove
Dessins : Maltaite

5 tomes

Les Campeurs

Les Campeurs
Scénario : Swinnen & Dugomier
Dessins : Maltaite

2 tomes

LES WINNERS

Les Winners
Scénario : Madaule
Dessins : Madaule

1 tome

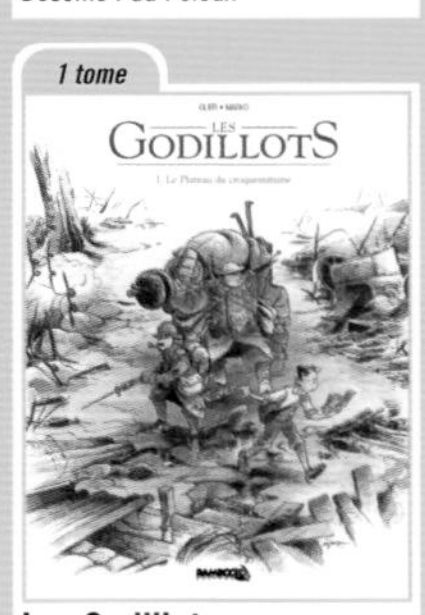
LES GODILLOTS

Les Godillots
Scénario : Olier
Dessins : Marko

1 tome

Ling Ling
LE PARFUM DES RUMEURS

Ling-Ling
Scénario : Escaich
Dessins : N'Guessan